Sandra

Collection folio cadet

Noël 84

Pour Michelle Weiller.

ISBN 2 - 07 - 031044 - 2

Numéro d'édition : 33305
Dépôt légal : avril 1984.
Imprimé en Italie.

SUSIE MORGENSTERN

Oukélé la télé ?

illustré par
PEF

Gallimard

TELETOU

Comme tous les matins, Stéphane se jetait encore plus vite sur le journal que sur ses tartines et son chocolat chaud. Ces pages imprimées n'étaient pourtant pas si appétissantes que cela, remplies de disputes politiques, de terrorisme, de guerres lointaines. Mais ce n'étaient pas les événements mondiaux, ni même les nouvelles locales, encore moins les petites annonces que Stéphane savourait ostensiblement à la table du petit déjeuner, c'était la page consacrée aux programmes de télévision.

Stéphane adorait la télévision. Il n'imaginait rien d'aussi épatant que ce cube grisâtre qui avait le pouvoir, par un simple branchement, de s'animer et d'animer ceux qui le regardaient. La vie entière était contenue dans cette boîte à surprises. Tantôt ça chantait, tantôt ça dansait. Ce cube pouvait aussi parler sérieusement de choses sérieuses. Ou encore passer de fabuleux films d'antan sortis d'une antique cinémathèque. Comme avec une baguette magique, abracadabra, si on penchait pour le théâtre, une pièce apparaissait ; si on préférait la musique, abracadabra, les accords d'un concert s'envolaient. Tout, chez soi, sans lever le petit doigt... ou presque.

Chaque matin, Stéphane se préparait un petit emploi du temps d'émissions télévisées pour sa soirée. Il prenait plaisir à composer un programme équilibré : une dose d'actualités pour se tenir au courant des derniers événements qui bousculent la planète, une dose de documentaire pour s'instruire, et une bonne dose de divertissements pour oublier ce qu'il savait.

Ce jour-là, un film particulièrement succulent l'attendait. Il lut le résumé : « LA FIANCÉE DE FRANKENSTEIN, film américain de James Whale (1935), avec B. Karloff, C. Clive, E. Lanchester, E. Thesiger, V. Hobson. A2, 23 h 05 (72mn). L'histoire mythique et prométhéenne écrite par Mary Shelley trouve un prolon-

gement cinématographique où Boris Karloff est un monstre désespéré, victime de l'intolérance, de la folie "scientifique" de son créateur. Grand final: l'apparition foudroyante d'Elsa Lanchester. » Après avoir jeté un coup d'œil aux programmes des autres chaînes, il se déclara fidèle à Antenne 2.

La perspective de ces bons moments pouvait lui faire avaler tout ce qu'il y aurait de désagréable dans sa journée. Mais il fallait d'abord convaincre son père :

– Si on regardait un bon film américain, ce soir, Papa ?

– Ah oui, de qui ?

Stéphane se référa au journal.

– De James Whale.

– Je ne connais pas. Comment s'appelle le film ?

Ça voulait dire que ce n'était pas la peine d'insister.

– *La Fiancée de Frankenstein.*

– Est-il en version originale ?

Avec une lueur d'espoir, Stéphane chercha ce renseignement capital.

– Ils ne le disent pas.

– Alors il sera en version française, et ça ne t'apportera rien d'écouter un doublage en français. Tu n'en profiterais même pas pour améliorer ton anglais, répondit son père, catégorique.

– Le film est de 1935. Il est peut-être muet, Papa.

La mort dans l'âme, Stéphane lâcha prise, et laissa tomber ce douloureux sujet de conversation, sachant que c'était perdu d'avance, d'autant que le film passait à 23 h 05.

Tel un somnambule, il revint à ses préoccupations quotidiennes : il prépara son cartable, résigné à traîner ce compagnon d'infortune avec lui, à travers les rues, dans les couloirs, de classe en classe et le long des escaliers. Puis, comme tous les jours, il lança toutes les forces de son imagination à la recherche acharnée, à la quête sacrée de l'objet de son désir.

Après le départ de son père, pendant que sa mère était occupée à sa toilette, Stéphane, sur la pointe des pieds, se rendit dans la chambre à coucher de ses parents. Méthodiquement, en commençant par les tables de chevet, il souleva les lampes, les oreillers, ouvrit les tiroirs sans bruit. Il regarda sous le lit, sous le matelas, dans la commode, les placards, le coffret à bijoux, le sac à main. Il secoua une enveloppe sur une table. Il inspecta les poches des vestes et les intérieurs des chaussures. Jour après jour, il devenait plus imprudent, plus ingénieux, mais aussi plus honteux d'être un voleur dans sa propre maison. La « chose » rôdait comme un fantôme, aussi présente que son échec à mettre la main dessus.

Parfois il avait une inspiration subite, et il courait chercher dans le four ou le compartiment à beurre du réfrigérateur, ou dans les pots de géraniums sur le rebord de la fenêtre.

Mais tous ses efforts ne lui rendaient pas l'objet de sa convoitise — la clef de la cave.

Sa sœur lui demandait invariablement : « Tu l'as trouvée ? » Stéphane avait du mal à contrôler sa colère et se contentait de lâcher un « au revoir » amer.

Il prenait son cartable, se livrait à l'ascenseur et partait pour l'école la mort dans l'âme.

Il pensait tous les jours à la cave. Il ne s'intéressait pas aux vins, pas du tout. Il n'avait d'ailleurs pas particulièrement d'affection pour ce trou noir, l'ampoule s'était cassée depuis longtemps et personne n'avait songé à la remplacer. On se cognait toujours contre les skis, les chaussures et les après-skis assortis des quatre membres de la famille ; les malles et les valises qui rêvent d'un voyage, une cuisinière en parfait état de marche qui attend de rendre service à quelqu'un, le berceau qui est gardé pour les petits-enfants futurs, des chaises cassées qui espèrent être réparées, de bonnes bouteilles vides qui rappellent des souvenirs, des demi-boîtes de peinture et de vernis desséchés, des ustensiles et des outils rouillés ; tout ce bric-à-brac qui ne demanderait pas mieux que de faire de l'auto-stop jusqu'à la décharge publique.

Le seul occupant de cette cave qui passionnait Stéphane était un appareil extraordinaire qui attendait son ange gardien pour être délivré de cet emprisonnement injuste. Et Stéphane avait fermement l'intention de le libérer de son triste sort.

La vie de Stéphane n'était donc pas facile. Il s'était fixé une mission qui l'amenait à comploter, à créer des intrigues et des conspirations épouvantables avec sa sœur.

– Écoute, on peut demander au concierge de nous ouvrir la porte de la cave en inventant un besoin archi-urgent, un jour que les parents ne seront pas là.

– Je crois qu'il est averti. Papa l'a prévenu de n'ouvrir la porte sous aucun prétexte.

Sa sœur réfléchit.

– Tu sais, Stéphane, il existe des gens qui peuvent tordre les cuillères par une sorte de télépathie, on pourrait en engager un.

– Ça coûterait une fortune. Et ça ne court pas les rues, les gens comme ça. On devrait lui crier, à cette fichue porte : « Sésame, ouvre-toi. »

Il allait de ruse en machination et de machination en stratagème.

– On pourrait jurer que nous avons besoin de quelques vieux carnets ou de livres qui sont empilés là-dedans.

– On pourrait offrir de nettoyer la cave ! suggéra sa sœur avec une inspiration soudaine.

Mais Stéphane n'était pas prêt à aller jusque-là. Tout ce qu'il demandait de la vie, c'était de pouvoir regarder la télé tranquillement comme tout le monde.

Pour ajouter à son tourment, sur le chemin de l'école, le pauvre Stéphane passait devant un magasin de télévisions. Tous ces écrans, pareils à une confrérie secrète, le fixaient, le suppliaient, l'invitaient à agir. Il fallait faire quelque chose.

A l'école, la conversation tournait inévitablement autour d'une émission, d'un film, d'un jeu ou d'une enquête montrée à la télé la veille.

– Tu as vu le film hier soir ?
– Oui, c'était chouette !
– Super !
– On l'a enregistré au magnétoscope.

Et lui, où était-il pendant que tout le monde se bousculait, s'enivrait devant le petit écran ? Lui, il était dans sa chambre en train de se tourmenter et de s'arracher les cheveux en recherchant la nouvelle cachette de la clef de la cave.

La télé n'avait pas toujours vécu dans la cave. Au début, pendant de longues années d'attente, elle avait existé à l'état de projet d'achat dans la tête de ses parents. Un jour c'était oui, hourra ! Et un jour c'était non, zut !

Papa :

– Pourquoi rester à l'écart de son temps ?

Maman :

– Il vaut mieux ne pas être tenté.

Stéphane et sa sœur n'avaient jamais hésité à donner leur point de vue discret et objectif :

– Nom d'une pipe, achetez cette satanée télé ou cessez de nous rendre fous ! ! !

Leurs arguments intelligents et justifiés n'influencèrent pourtant jamais les parents.

Saura-t-on un jour pourquoi ou comment les parents ont cédé ? Par lassitude ? Par paresse ? Par folie momentanée ? Par impulsion soudaine ? Ils disaient beaucoup à l'époque, d'un ton gêné, qu'ils voulaient regarder « Apostrophes », mais Stéphane les soupçonnait de sortir la télé du placard d'autres soirs que le vendredi.

Au début, ils la rangeaient dans les diverses armoires de l'appartement. Ils avaient acheté la télévision la plus mesquine, minable et rikiki possible : noir et blanc (de nos jours !), portative (ça se comprend !), sans télécommande.

Qu'importe, c'était tout de même la lune de miel, Stéphane était aux anges. Il regardait tout. Il avait toute une vie de téléculture à rattraper. Stéphane rentrait de l'école, ouvrait tous les placards jusqu'à ce qu'il découvre enfin la cachette de Mme Télé, s'installait avec elle un bon moment, puis la rangeait avant l'arrivée supposée d'un des parents. Quel régal ! Il ne la rendait jamais à l'armoire d'où il l'avait sortie. Ainsi ses parents étaient obligés de faire les mêmes recherches que lui, et une bonne partie de la vie des membres de la famille était consacrée à chercher la télé.

Il ne perdait pas de vue sa montre, afin de ne pas rater l'arrivée d'un des gardiens de sa « santé mentale ». Un jour, il s'était abandonné à un film américain, hélas en version française, de William Dieterle : *Quasimodo,* d'après *Notre-Dame de Paris* de Victor Hugo, et il avait oublié l'heure. Sa mère était effondrée qu'on ait pu désobéir à ses consignes : télé deux fois par semaine, et pas les veilles de classe.

– On ne peut plus avoir confiance en ses propres enfants, pleura-t-elle, après tout ce que l'on a fait pour eux.

Stéphane la supplia de le laisser finir de voir son film, mais elle était livide et implacable.

La télé fut donc enfermée à double tour dans l'armoire Louis XVI dont la clef ne quitta plus jamais la mère de Stéphane. Mais le cerveau de ce dernier ne chômait pas. Un jour béni d'absence de ses parents, poussé à la révolte, il prit les outils nécessaires et démonta les portes en merisier de la vénérable armoire. Il jouit alors d'une journée de télévision sans pareille avant d'être pris en flagrant délit.

Jamais à court d'idées, le père de Stéphane enferma la télé dans le grand placard blindé de l'entrée. Ce faisant, il coinça la clef minuscule dans la serrure et, en forçant, la clef se cassa en deux. Il jura et grogna tout ce qu'il savait :

– C'est à cause de ces enfants qui ne veulent pas laisser cette maudite télé dans le placard, à sa place.

Cela arriva par une journée hivernale d'un Paris polaire, et par malheur, c'était justement le placard à manteaux de toute la famille. Stéphane jubilait : son père dut téléphoner au serrurier et débourser 150 francs pour le service d'urgence, tandis que sa maman écrivait un mot d'excuse au directeur de l'école justifiant le retard de ses enfants (pour une raison inexplicable, le réveil n'a pas sonné, nous allons changer les piles).

C'est à cette époque que l'on inaugura le système de la télé à la cave. La clef de la cave était plus grande que les autres, et il était impensable que la mère de Stéphane la portât toujours sur elle. Cependant, cette clef était infiniment plus difficile à trouver que la télé même. Ni plaidoirie, ni supplications, ni marchandages, ni chantage, ni sondage ne donnaient d'indications sur la cachette de la clef.

Stéphane commença par une campagne de petits actes terroristes de sa façon. Il cachait les romans que sa mère était en train de lire, ou les clefs de la voiture, ou les tickets de métro (il n'y avait pas de guichet à leur station), ou le stylo de son père. Il enlevait le dentifrice de la salle de bain, les petits fromages frais de la table du déjeuner et les sucres du sucrier. Il dissimulait la sacoche de son père et le rouge à lèvres de sa mère.

Ses parents souffraient en silence tout en essayant de le convaincre que la « boîte à idioties » rendait le téléspectateur imbécile, abruti, nouille, sot, bêtasse, gourde et même plus. Si ce n'était pas assez, la télévision était également néfaste pour les yeux, la tête, le foie, la vésicule biliaire, les fesses, et sûrement cancérigène.

Toutefois, il y avait des trêves.

Quand les parents partaient en week-end, pendant les vacances, quand Stéphane jurait qu'une émission était absolument indispensable à sa future carrière, à sa culture, à son hygiène mentale, et que de toute façon il n'avait pas de devoirs; quand il avait une rhinopharyngite, une angine, ou tout autre cadeau du ciel.

Mais la plupart du temps, c'était invivable, insupportable, intenable. Il vivait en état permanent de colère, de manque, de fringale de télévision.

Mille et une télés
OKAZE

Stéphane décida de réagir.

Il économisa sur son argent de poche, il mendia à droite et à gauche auprès de ses tantines et de son pépé, se priva de tas d'articles de première nécessité tels que bonbons, pâtisseries et modèles réduits. Centime par centime, il mit de côté un pécule destiné à fêter la gloire et le souvenir éternel de Goldorak, d'Ulysse et du Capitaine Flam. Sur le trajet de l'école, il avait vu dans la vitrine des « Mille et Une Télés » une télévision d'occasion en parfait état de marche, bien qu'elle n'eût que deux chaînes, pour seulement 300 francs. Incroyable ! Il entra et dit :

– J'aimerais acheter cette télé.

– Bien Monsieur, vous payez en espèces ?

– C'est-à-dire que... je payerai demain, dit Stéphane.

– Pouvez-vous laisser des arrhes pour arrêter la vente ?

Stéphane était gêné car, pour sauvegarder sa fortune, il avait pris l'habitude de se promener sans un sou. Il réfléchit rapidement.

– Je peux vous laisser mon cartable en cuir véritable.

– Très bien, dit le vendeur, assistant, impassible, au vidage du cartable.

Stéphane en entassa le contenu dans ses deux bras et partit guilleret à l'école en essayant de tenir le tout en équilibre. Le voyage fut pénible : le livre de français tomba, puis le cahier de brouillon, puis la trousse et, pour couronner le tout, le classeur se vida.

Il parvint à survivre à sa journée de jongleur et arrivé à la maison, il se jeta sur son lit, assommé de fatigue et tout courbatu. Il n'avait jamais encore apprécié l'apport du cartable, mais là, il reconnaissait son efficacité. Quand Stéphane reprit ses esprits, il compta son argent et, à sa grande déception, s'aperçut qu'il lui manquait 57 francs et des poussières.

Prenant son air le plus modestement diplomatique, le frère attentionné alla dans la chambre de sa sœur pour tenter de l'intéresser à son entreprise.

– Tu veux acheter une télé avec moi ?

Elle n'était pas du tout hostile à l'idée et avoua en avoir ras le bol du petit jeu de la clef de la cave. Elle participerait aux frais à condition d'avoir libre accès à la propriété. Son associé le lui promit.

Le lendemain, Stéphane apporta la caisse commune, totalisant 300 francs, aux « Mille et Une Télés ». Le vendeur rendit le cartable, et dit à Stéphane que c'était avec grand regret qu'il était obligé d'informer son aimable client que les télés d'occasion n'étaient pas livrées à domicile. Cela n'avait pas d'importance, le nouveau propriétaire l'emporterait sans problèmes... En essayant de la soulever, il se rendit tout de suite compte de l'impossibilité de la chose, mais assura le vendeur qu'il reviendrait avec une solution. Il envisageait d'emprunter un des *caddies* du supermarché voisin, quand son regard tomba sur un livreur en train de transporter des caisses énormes à l'aide d'un diable. Enthousiasmé, Stéphane retourna aux « Mille et Une Télés » et demanda si le magasin en possédait un.

– Oui Monsieur, dit le vendeur avec sérieux.

– Pouvez-vous me le prêter, afin que je me livre ma télé ?

Le vendeur semblait très gêné, mais la vente des télés marchant à merveille, il était de très bonne humeur.

– Bien Monsieur, vous me laissez quelque chose en dépôt et vous revenez rapidement.

Stéphane laissa en gage son cartable...

A deux ils parvinrent à mettre la télé sur le diable, et Stéphane partit en courant, léger comme un hippopotame qui s'envolerait.

Il livra la télévision chez lui, se faisant aider par sa sœur, puis il la camoufla le mieux possible sous sa table de travail, afin qu'elle passât inaperçue le temps qu'il rapportait le diable.

Essoufflé, il reprit possession de son cartable et courut mettre sa télé en marche. Comme ils habitaient près de la tour Eiffel, point n'était besoin d'antenne. Ça marchait !

Cette fois-ci, il était déterminé à ne pas se faire attraper en train de regarder la télé ; il guettait l'escalier toutes les cinq minutes, ce qui l'empêchait de suivre l'émission ou le film avec toute la concentration nécessaire.

Stéphane était tellement fier de son achat et content de ne plus être l'esclave de la clef de la cave, qu'il fut saisi d'une tendresse débordante envers cette boîte. Comme un enfant qui habille sa poupée, il se munit de peintures pour maquette et entreprit de la décorer.

Peignant d'abord des spirales entrelacées de fleurs des champs, comme dans les manuscrits anciens, il travaillait lentement, soigneusement, se donnant des semaines pour obtenir un résultat digne de l'objet. Ensuite, il y inscrivit des slogans :

« Libérez l'information »,
« Première chaîne, deuxième chaîne, troisième chaîne, déchaînez-vous ! »
et « Votez les visions ! »

Et puis, comme un déclic, jugeant l'objet prêt à l'emploi, il prépara de la façon la plus froidement préméditée et lucide son voyage au bout de la télévision. La penderie de sa chambre devint la salle de projection. Le bruit fut absorbé par les pantalons, les vestes et les chemisiers qui s'y logeaient.

Après ses débuts d'artiste-décorateur, Stéphane se fit écrivain et formula une douzaine de petits mots à ses parents :

je pars à la découverte de notre quartier
A-TOUT-A-L'HEURE S.

MAMAN, je fais un tour à la bibliothèque consulter l'ENCYCLOPEDIE S.

Je passe QUELQUES HEURES dans le métro approfondir ma connaissance des stations et des TRAJETS. S

JE VAIS AU MUSÉE !
(voir quelques tableaux dont le prof de dessin nous a parlé. S

Il devint de plus en plus fort en alibis et trouva ainsi une quantité de projets qui méritaient l'attention de tout bon Parisien.

Mais pendant que ses messages le situaient dans les endroits les plus passionnants en train d'entreprendre des activités extrêmement louables, Stéphane se cachait dans sa télé-armoire où les images l'attaquèrent à très haute dose. Tellement qu'il appa-

raissait à table avec le regard d'un aveugle et l'oreille d'un sourd. Sa mère le trouva pâle et se demanda si ce n'était pas à cause de l'activité intellectuelle intense décrite par les petits mots qu'il laissait sur la table de la cuisine. Inquiète, elle exposa la clef tant convoitée de la cave sur la commode, comme si elle avait oublié de la cacher. Seulement cette fois-ci, la clef fut délaissée et ignorée.

La gardienne, désespérée par l'abandon de son jeu, remonta la télé en plein milieu de la salle de séjour. Mais la télé était aussi seule là-haut à la lumière du jour qu'en bas dans le noir de la cave.

Stéphane ne put en aucun cas regarder la télé publiquement au salon. Il essaya une seule fois, mais, dès qu'il s'installa devant le petit écran ainsi offert à sa vue, au grand air, il fut envahi par un étrange malaise. Il tournait la tête à gauche et à droite, regardait derrière ses épaules, se levait pour ouvrir la porte d'entrée, guettait l'arrivée d'un fantôme.

Oui... il avait toujours peur que la rage de sa mère, qui rôdait dans sa mémoire, ne vienne éclater dans la pièce.

Alors il se retira dans le placard. Pendant son stage intensif de télévoyeur secret, il regarda n'importe quoi, n'importe quand, n'importe comment. Quand sa mère lui posait la question fatale à son retour de l'école : « Tu vas travailler, Stéphane ? », il désirait s'enfermer dans sa coquille de télé pour de bon.

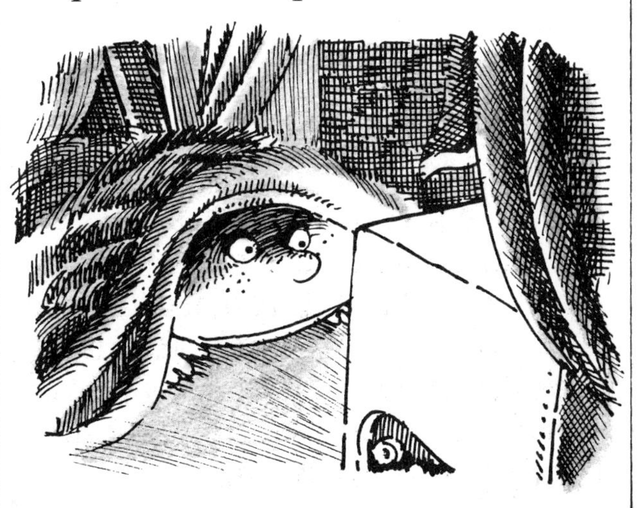

On ne sait pas si Stéphane se lassa d'écrire des mots-alibis ou si la télé même commença à l'écœurer, mais on sait qu'il sortit à un rythme grandissant pour des récréations, et on le trouva souvent à son bureau en train de faire des explications de textes, des thèmes anglais, des problèmes de math et de physique, lisant des chapitres entiers de science nat, ou allongé sur son lit, plongé dans les délices de la littérature française.

La télé décorée à merveille resta une pièce du musée privé de Stéphane. Des fois, il jetait un coup d'œil à ses dessins, mais il ne la branchait plus.

N'empêche que tous les matins, au petit déjeuner, il continuait à se délecter des programmes de télévision tartinés sur les pages du journal, comme si c'était un avant-goût du délassement et du plaisir de passer passivement, placidement, paresseusement le temps.

BIOGRAPHIES

Susie Morgenstern a un jour quitté son Amérique natale pour suivre son mari et s'installer en France. À l'époque, elle ne parlait pas un mot de français. Française depuis maintenant plus de 16 ans, Susie Morgenstern vit toujours à Nice ; elle y enseigne l'anglais informatique à la faculté des Sciences. Son premier livre pour enfants, paru en 1979, était un alphabet hébreu. Depuis lors, d'albums en petits romans, Susie Morgenstern n'arrête plus d'écrire. S'inspirant de la vie quotidienne et soucieuse de refléter la réalité, elle écrit directement en français, demandant à son mari, ses enfants et ses amis de corriger ses textes. Susie Morgenstern a deux filles, qui aimeraient bien que leurs parents se décident enfin à acheter une télé...

Est-il encore nécessaire de présenter **Pef** ? Tous les écoliers de France connaissent maintenant si bien l'auteur de *La belle lisse poire du prince de Motordu !* Son premier album pour enfants, *Moi, ma grand-mère* est paru en 1978 (Éditions de la Farandole) et depuis, la liste des livres réalisés par Pef n'a cessé de s'allonger. Plus volontiers illustrateur de ses propres textes *(Dictionnaire des Mots tordus, Réponses bêtes à des questions idiotes, Rendez-moi mes poux...)* Pef se laisse parfois tenter par les histoires des autres : *Le monstre poilu,* d'Henriette Bichonnier (Folio Benjamin) et ce texte de Susie Morgenstern, qu'il avoue avoir illustré avec beaucoup de plaisir.

collection folio cadet

N° 1 **Dictionnaire des mots tordus,** Pef
N° 2 **Le chasseur et la femme oiseau,** G. Bourgadier/N. Vogel
N° 3 **La nuit des bêtes,** J.-P. Andrevon/G. Franquin
N° 4 **Une pomme de terre en or massif,** J.-O. Héron
N° 5 **La grenouille d'encrier,** B. Beck/J. Claverie
N° 6 **Le briquet,** H. Andersen/N. Claveloux
N° 7 **Un poney dans la neige,** J. Gardam/W. Geldart
N° 8 **Les marins fantômes,** B. Zhitkov/P. O. Zelinsky
N° 9 **L'enlèvement de la bibliothécaire,** M. Mahy/Q. Blake
N° 10 **Drôles de pirates,** S. Kroll/M. Hafner
N° 11 **L'invité du ciel,** I. Asimov/A. Bozellec
N° 12 **Clément aplati,** J. Brown/T. Ross
N° 13 **Le grand charivari,** M. Mahy/Q. Blake
N° 15 **Pas de chance pour M. Taupe,** K. Bracharz/T. Hauptmann
N° 17 **La Belle et la bête,**
Mme Leprince de Beaumont/W. Glasauer
N° 18 **Du commerce de la souris,** A. Serres/C. Lapointe
N° 19 **Le bébe dinosaure,** F. Mayröcker/T. Eberle
N° 20 **Le vitrail,** P. Lively/G. Delepierre
N° 21 **Les aventures de Papagayo,** M.-R. Farré/R. Sabatier
N° 22 **La forêt des verts lutins,** P. Pearce/W. Geldart
N° 24 **L'homme qui plantait des arbres,** J. Giono/W. Glasauer
N° 25 **La vengeance du chat Mouzoul,** J.-P. Ronssin/R. Sabatier
N° 27 **Fantastique Maître Renard,** R. Dahl/J. Bennet
N° 28 **Le détective de Londres,** R. et B Kraus/R. Byrd
N° 29 **Il était une fois deux oursons,** H. Muschg/K. Bhend-Zaugg
N° 30 **Le terrible chasseur de lune,** D. Haseley/S. Truesdell
N° 31 **La traversée de l'Atlantique à la rame,** J.-F. Laguionie
N° 32 **Les animaux très sagaces,** C. Roy/G. Lemoine
N° 33 **Papa est un ogre,** M. Farré/A. Soro
N° 34 **Le cochon et le serpent,** J. Jiler/S. Yard Harris
N° 35 **Le château de la tortue,** J. Ladoix/C. Mariniello
N° 36 **A la recherche de la fontaine de Jouvence,**
Collectif/C. Lapointe
N° 38 **C'est le bouquet,** C. Roy/A. Le Foll
N° 39 **Réponses bêtes à des questions idiotes,** Pef
N° 40 **Le doigt magique,** R. Dahl/H. Galeron
N° 41 **Le grand-père d'Élise,** L. Peavy/R. Himler
N° 42 **Quelle frousse!** S. Hughes
N° 43 **Le roi qui ne croyait pas aux contes de fées,** M.-R. Farré/S. Bloch
N° 44 **Oukélé la télé?** S. Morgenstern/Pef
N° 45 **Mon maître d'école est le Yéti,** M. Farré/A. Soro
N° 46 **La ferme des musiciens,** D. Haseley/S. Gammell